Bon Chien, Fergus!
David Shannon
Éditions
SCHOLASTIC

À Heidi, Emma et, bien sûr, Fergus

Catalogage avant publication de Bibliothèque et Archives Canada

Shannon, David, 1959-
Bon chien, Fergus! / David Shannon.

Traduction de : Good boy, Fergus!
Pour les 3-6 ans.
ISBN-13 : 978-0-439-94278-2
ISBN-10 : 0-439-94278-0

I. Titre.

PZ23.S485 Bo 2007 j813'.54 C2006-905678-1

Édition publiée par les Éditions Scholastic, 604, rue King Ouest, Toronto (Ontario) M5V 1E1.

5 4 3 2 1 Imprimé au Canada 07 08 09 10 11

Bonjour,
Fergus!
Veux-tu sortir?

À vos marques...

Prêts...

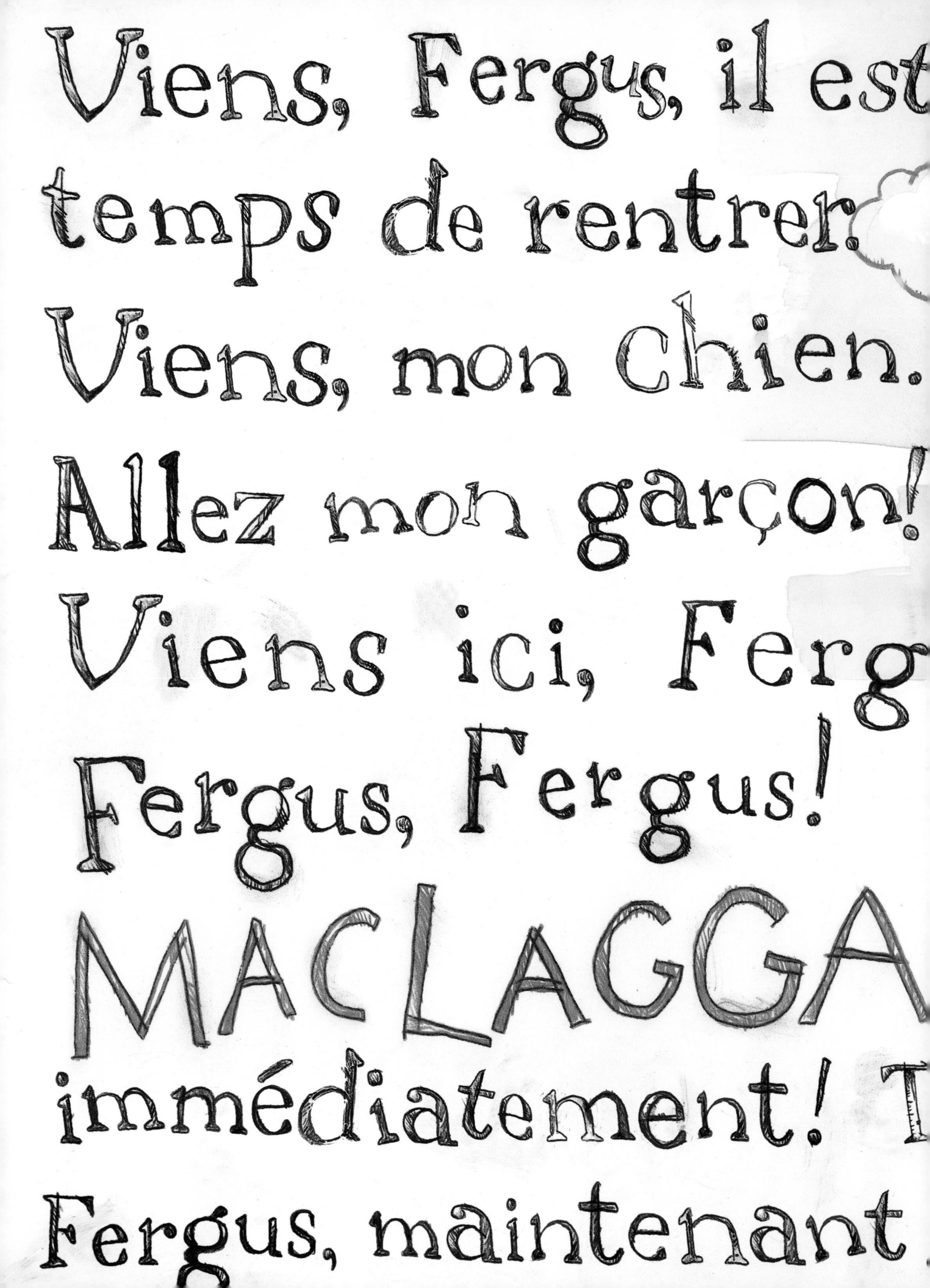
Viens, Fergus, il est
temps de rentrer.
Viens, mon chien.
Allez mon garçon!
Viens ici, Ferg
Fergus, Fergus!
MACLAGGA
immédiatement! T
Fergus, maintenant

…us!

FERGUS

…N! Tu viens ici

…out de suite! Allez!

S'il te plaît, Fergus!

Bon
Chien,
Fergus!

Ah! Voilà M. Fergus!

Mon gros toutou à qui ça pique partout, partout!

Viens, que je te grattouille!
ici, mon pitou?

Assis, Fergus.
Couché.

Fais le beau.
Bon Chien, Fergus !

FERGUS!

C'est l'heure
du bain !

On va faire un tour?

Non, Fergus. Couché!

Bon, d'accord...

Bon Chien, Fergus !

Quoi?
l'heure

C'est
de la promenade?

ergus

NON,
Fergus!
05

Bon Chien,
Fergus!

Qu'est-ce qui ne va pas?

mieux?
Pas mal mieux!

Fais de beaux rêves,
mon p'tit Fergus.

Bon chien!